Стихи и сказки на ночь

RUSSIAN

Skazki na noch′ malysham.

Издательский дом «Проф-Пресс»
Ростов-на-Дону
2012

ДОБРАЯ СКАЗКА НА НОЧЬ

ТЕРЕМОК

Стоит в поле теремок. Бежит мимо мышка-норушка. Увидела теремок, остановилась и спрашивает:

– Терем-теремок! Кто в тереме живёт?

Никто не отзывается.

Вошла мышка в теремок и стала там жить.

Прискакала к терему лягушка-квакушка и спрашивает:

– Терем-теремок! Кто в тереме живёт?

– Я, мышка-норушка! А ты кто?

– А я – лягушка-квакушка.

– Иди ко мне жить!

Лягушка прыгнула в теремок. Стали они вдвоём жить.

Бежит мимо зайчик-побегайчик. Остановился и спрашивает:

– Терем-теремок! Кто в тереме живёт?

– Мышка-норушка, лягушка-квакушка! А ты кто?

– А я – зайчик-побегайчик.

– Иди к нам жить!

Заяц – скок в теремок! Стали они втроём жить.

Идёт мимо лисичка-сестричка. Постучала в окошко и спрашивает:

– Терем-теремок! Кто в тереме живёт?

– Мышка-норушка, лягушка-квакушка, зайчик-побегайчик! А ты кто?

– А я – лисичка-сестричка.

– Иди к нам жить!

Забралась лисичка в теремок. Стали они вчетвером жить.

Прибежал волчок – серый бочок, заглянул в дверь и спрашивает:

– Терем-теремок! Кто в тереме живёт?

– Мышка-норушка, лягушка-квакушка, зайчик-побегайчик, лисичка-сестричка! А ты кто?

– А я – волчок – серый бочок.

– Иди к нам жить!

Волк влез в теремок. Стали они впятером жить.

Вдруг идёт медведь косолапый. Услыхал песни в теремке и заревел:

– Терем-теремок! Кто в тереме живёт?

– Мышка-норушка, лягушка-квакушка, зайчик-побегайчик, лисичка-сестричка, волчок – серый бочок! А ты кто?

– А я – медведь косолапый.

– Иди к нам жить!

Влез медведь на крышу и только уселся – трах! – развалился теремок. Еле-еле успели из него выскочить зверушки – все целы и невредимы.

Принялись они брёвна носить, доски пилить – новый теремок строить.

Лучше прежнего выстроили!

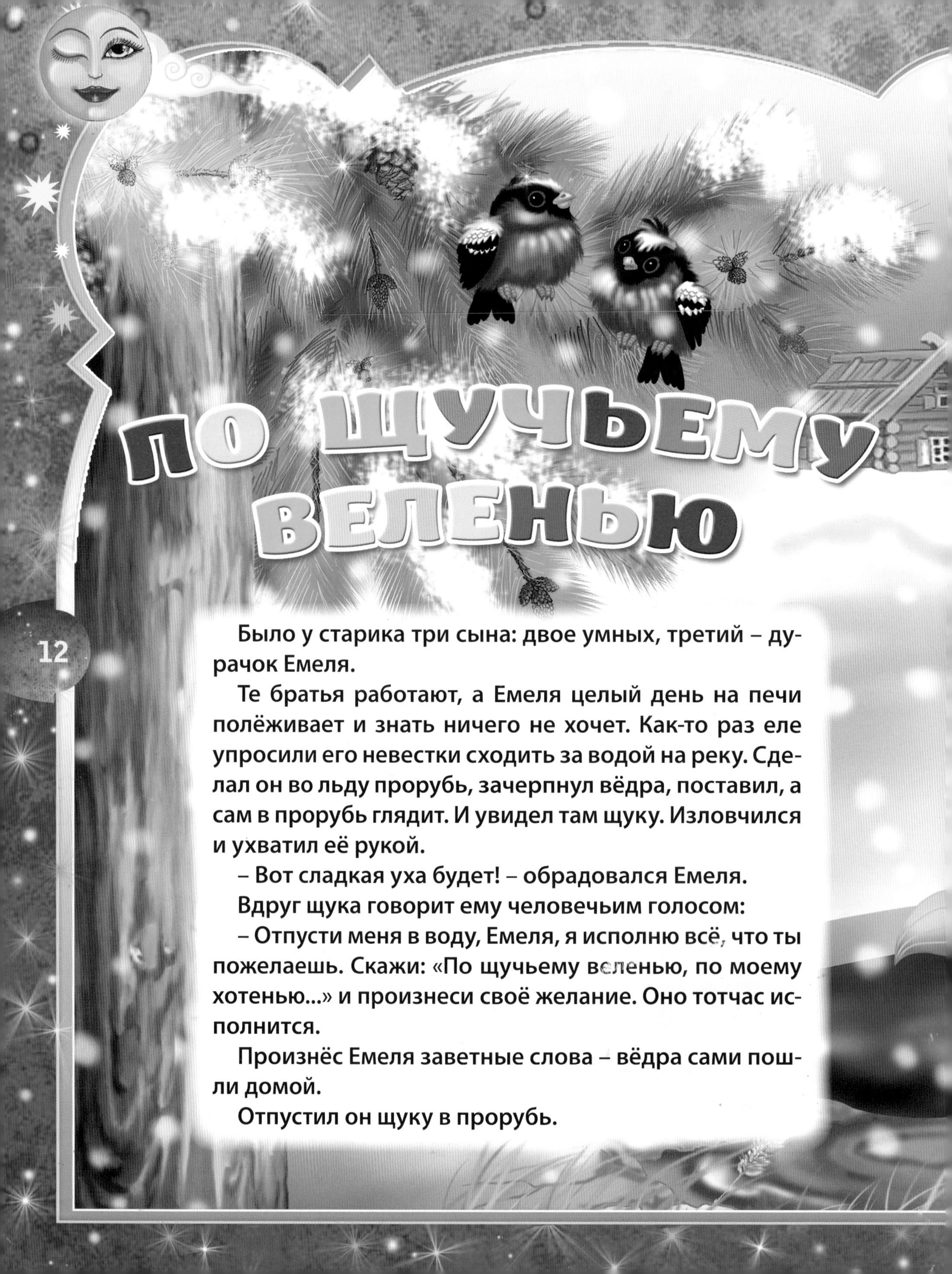

По щучьему веленью

Было у старика три сына: двое умных, третий – дурачок Емеля.

Те братья работают, а Емеля целый день на печи полёживает и знать ничего не хочет. Как-то раз еле упросили его невестки сходить за водой на реку. Сделал он во льду прорубь, зачерпнул вёдра, поставил, а сам в прорубь глядит. И увидел там щуку. Изловчился и ухватил её рукой.

– Вот сладкая уха будет! – обрадовался Емеля.

Вдруг щука говорит ему человечьим голосом:

– Отпусти меня в воду, Емеля, я исполню всё, что ты пожелаешь. Скажи: «По щучьему веленью, по моему хотенью...» и произнеси своё желание. Оно тотчас исполнится.

Произнёс Емеля заветные слова – вёдра сами пошли домой.

Отпустил он щуку в прорубь.

С тех пор так и повелось: о чём бы Емелю ни попросили, он проговорит потихоньку: «По щучьему веленью, по моему хотенью... ступайте, сани, в лес, а ты, топор, наруби дров, а вы, дрова, сами собирайтесь в вязанки и укладывайтесь в сани».

В лес-то через город ехать приходилось, и тут он много народу покалечил.

Долго ли, коротко ли – услышал царь о Емелиных проделках и посылает за ним офицера. Но офицер был грубый и злой: рассердился, что Емеля не хочет ехать с ним во дворец, и ударил его по щеке. Емеля в долгу не остался: призвал дубинку, и она поколотила офицера, еле тот ноги унёс.

Посылает царь набольшего вельможу за Емелей. А тот стал разговаривать ласково, обещал Емеле кафтан красивый, сапоги и шапку новые, угощал пряниками медовыми. И уговорил Емелю поехать во дворец.

– Ну ладно, ступай ты вперёд, а я за тобой буду.

Уехал вельможа, а дурак полежал ещё и говорит:

– По щучьему веленью, по моему хотенью, поезжай, печь, к царю.

Царь глядит в окно, дивится:

– Это что за чудо?

Вышел царь на крыльцо:

– Много на тебя жалоб что-то, Емеля, много народу подавил.

А Емеля увидел в окне дворца Марью-царевну и пожелал, чтоб она его полюбила. Развернул печь и поехал домой.

А у царя во дворце – крик и слёзы. Марья-царевна по Емеле скучает, жить без него не может, просит отца выдать её замуж за Емелю. Опечалился царь и велит срочно доставить во дворец Емелю.

Опоил вельможа дурачка вином и привёз его во дворец.

Посадили Марью-царевну и Емелю в бочку, засмолили и в море бросили. Сколько времени прошло – мало ли, много, пробудился Емеля. Видит – тесно и темно.

– По щучьему веленью, по моему хотенью, выкатись, бочка, на сухой песок, выстройся, каменный дворец с золотой крышей. А ещё – стать мне писаным красавцем.

Всё тотчас исполнилось.

А в ту пору царь ехал на охоту и видит: стоит дворец, где раньше не было.

– Это что за невежа без моего ведома на моей земле дворец поставил? – и послал узнать-спросить.

А хозяева уже царя в гости просят. Приехал царь.

– Кто такие? – спрашивает.

– А помнишь Емелю-дурачка, что велел со своей дочкой в бочке засмолить да в море бросить. Я – тот самый Емеля! Захочу – всё твоё царство пожгу-порушу!

Царь сильно испугался, прощения попросил. Тут устроили пир на весь мир. Емеля женился на Марье-царевне и стал править царством.

Гуси-лебеди

Жили мужик да баба. У них были дочка да сынок маленький. Вот как-то раз мать и говорит:

– Мы пойдём на работу, береги братца! – наказала мать. – Не ходи со двора, будь умницей!

Отец с матерью ушли, а дочка позабыла, что ей наказали: посадила

братца на травке и побежала на улицу. Налетели гуси-лебеди, подхватили мальчика и унесли на крыльях.

Вернулась девочка, глядь – братца нету! Она его кликала, искала, слезами заливалась – не откликнулся братец. Выбежала в чистое поле и увидела: мелькнули вдалеке гуси-лебеди. Про них давно шла дурная слава: поговаривали, что они маленьких детей уносили.

Бросилась девочка догонять их. Бежала-бежала, видит: печь стоит.
– Печка, печка, скажи, куда гуси-лебеди полетели?
– Съешь моего ржаного пирожка – скажу, – отвечает печка девочке.
– У моего батюшки и пшеничные не едятся…
Печка ей ничего не сказала.

Побежала девочка дальше – стоит яблоня.

– Яблоня, яблоня, скажи, куда гуси-лебеди полетели?

– Поешь моего лесного яблочка – скажу.

– У моего батюшки и садовые не едятся…

Яблоня ей не сказала.

Побежала девочка дальше. Течёт молочная река в кисельных берегах.

– Молочная река, кисельные берега, куда гуси-лебеди полетели?

– Поешь моего простого киселька с молочком – скажу.

– У моего батюшки и сливочки не едятся…

Долго она бегала по полям, по лесам, уж вечерело. Вдруг видит: стоит избушка на курьих ножках, кругом себя поворачивается. В избушке баба Яга прядёт кудель, а рядом сидит братец, играет серебряными яблочками.

– Здравствуй, бабушка! Я замёрзла, пусти погреться.

– Здравствуй, девица! Садись кудель прясть. А я пойду баню топить, – и ушла.

Девочка взяла братца и побежала.

Баба Яга вернулась, а нет никого. Баба Яга закричала:

– Гуси-лебеди! Летите в погоню!

Сестра с братцем добежала до молочной реки. Видит: летят гуси-лебеди.

– Речка-матушка, спрячь меня!

– Поешь моего простого киселька.

Поела девочка молочного речкиного киселя. Река укрыла её под своим бережком. Гуси-лебеди пролетели мимо.

Девочка с братцем опять побежала. А гуси-лебеди воротились, уже догоняют. Что делать? Беда! Стоит яблоня…

Девочка поскорее съела её яблочко лесное и «спасибо» сказала. Яблоня её заслонила ветвями, прикрыла листами.

Гуси-лебеди не увидали, пролетели мимо.

Девочка опять побежала. Бежит-бежит, уж недалеко осталось. Тут гуси-лебеди увидели её, загоготали – налетают, крыльями бьют, того гляди, братца из рук вырвут.

Добежала девочка до печки:

– Печка-матушка, спрячь меня!

– Поешь моего ржаного пирожка.

Девочка скорее – пирожок в рот, а сама с братцем – в печь, села в устьице.

Гуси-лебеди полетали-полетали, покричали-покричали и ни с чем улетели к бабе Яге.

Девочка сказала печи «спасибо» и вместе с братцем прибежала домой. А тут и отец с матерью пришли.

Зимовье зверей

У старика со старухой были бык, баран, гусь да петух и свинья.
Вот старик и говорит старухе:
– А что, старуха, зарежем петуха к празднику!

Услышали это звери, поняли, что им всем этого не избежать, и убежали тёмной ночью в лес.

Летом в лесу привольно. Живут беглецы хорошо. Но прошло лето, пришла зима. Вот бык и говорит:

– Братцы-товарищи, надо зимовье строить.

А они как закричат в один голос:

– Нам и без избы хорошо, перезимуем!

И бык один поставил избу. Затопил печку и греется.
А зима завернула холодная, с лютыми морозами.
Баран бегал-бегал, не может согреться – пришёл к быку:
– Бэ-э!.. Бэ-э!.. Пусти меня к себе!

– Нет, баран. Я тебя звал избу рубить, а ты сказал, что у тебя шуба тёплая, ты и так перезимуешь.

– А коли не пустишь, я разбегусь, вышибу дверь с крючьев, тебе же холоднее будет.

Бык думал-думал и решил: «Дай пущу, мне же лучше будет». Пустил барана.

Немного погодя прибежала свинья:

– Пусти меня, бык, погреться!

– Нет, свинья, я тебя звал избу ставить, а ты сказала, что ты в землю зароешься и прозимуешь.

– Не пустишь – я рылом углы подрою и избу уроню!

Бык подумал: «Подроет она углы, уронит избу».

– Ну, заходи.

Забежала свинья и улеглась возле лавочки.

За свиньёй гусь летит:

– Гагак! Гагак! Бык, пусти меня погреться!

– Нет, не пущу! Ты избу не захотел ставить, сказал, что одно крыло подстелешь, другим укроешься и так прозимуешь.

– А не пустишь, так я весь мох из стен вытереблю!

Подумал-подумал бык и пустил гуся.

Зашёл гусь в избу и сел на шесток.

Немного погодя петух стучится:

– Ку-ка-ре-ку! Бык, пусти меня в избу!

– Нет, петух, не пущу! Зимуй в лесу под елью.

– Не пустишь – я на чердак взлечу, землю с потолка сгребу, холода напущу.

Пустил и его. Петух влетел в избу и сел на брусок.

Вот живут они, поживают.

Узнали про то медведь с волком:

– Пойдём в избушку, – решили, – всех поедим, а сами жить там останемся.

Пришли к избушке. Волк первым пошёл.

Намяли ему бока изрядно звери, еле вырвался, а медведь услышал крик да в бега подался. Только его и видели.

С той поры медведь с волком и близко к избушке не подходили. А бык, баран, гусь, петух да свинья живут там, поживают и горя не знают.

КОЗА-ДЕРЕЗА

Жили-были старик со старухой да их дочка. Вот пошла дочка пасти коз. Пасла по горам, по долам, по зелёным лугам. Вечером пригнала их домой. Старик и спрашивает:

– Вы, козочки, вы, матушки,
Вы сыты ли, вы пьяны ли?

Отвечают ему козы:

– Мы и сыты , мы и пьяны,
Мы по горочкам ходили,
Травушку пощипали,
Осинушки поглодали,
Под берёзкой полежали!

А одна коза отвечает:

– Я не сыта, я не пьяна,
По горочкам не ходила,
Травушку не щипала,
Осинушки не глодала,
Под берёзкой не лежала,
А как бежала через мосточек,
Ухватила кленовый листочек.
Да как бежала через гребельку,
Ухватила воды капельку.

Рассердился дед на дочку и прогнал её прочь с глаз. На другой день послал пасти старуху. Баба пасла коз по горам, по долам, по зелёным лугам. Поздно вечером пригоняет их домой. А старик стоит на крылечке и спрашивает:

– Вы, козочки, вы, матушки,
Вы сыты ли, вы пьяны ли?

А козы отвечают, что они и сыты, и пьяны, и по горочкам скакали, и по зелёным лужочкам травку щипали, и под берёзкой полежали.

А одна коза – всё своё: и не сыта она, и не пьяна она, по горочкам не скакала, травушку не щипала, под берёзкой не лежала, а только воды капельку да листочек кленовый и ущипнула.

Пуще прежнего рассердился старик и прогнал старуху, чтоб на глаза не показывалась ему. Пришлось самому наутро коз пасти. Пас их по горочкам, по зелёным лужкам. Пригнал вечером домой, а сам забежал наперёд и спрашивает:

– Вы, козочки, вы, матушки,
Вы сыты ли, вы пьяны ли?

А козы ему отвечают, что и сыты они, и пьяны они, что наскакались

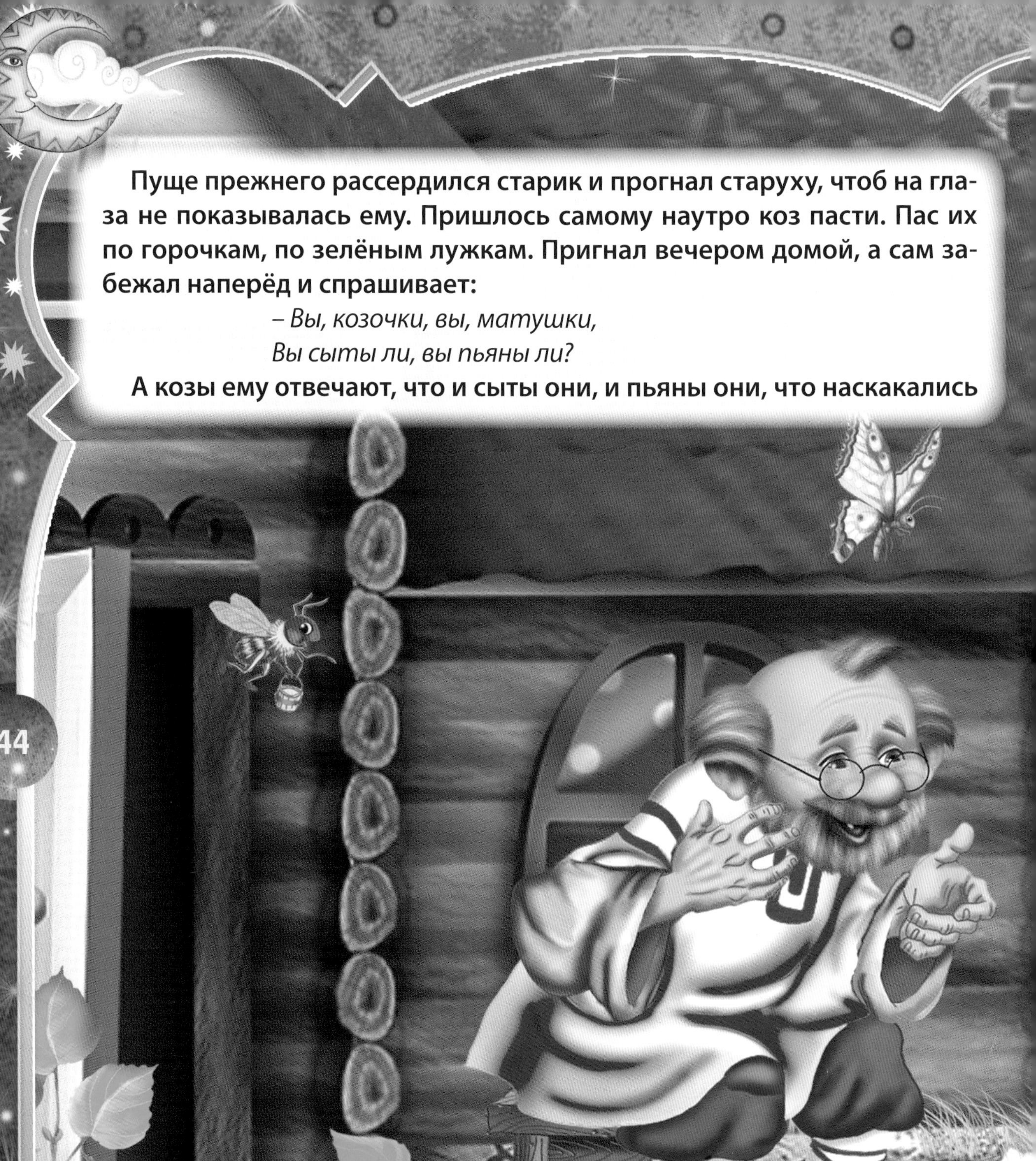

они, и травушки наелись, и отдохнули вдоволь.

А одна коза своё: не сыта и не пьяна, по горам не ходила, травушку не щипала, лишь ухватила кленовый листочек да воды глоточек.

Понял старик, что зря обидел жену и дочку. Поймал он эту козу, привязал её и давай учить ивовым прутиком. Учил, учил, притомился, решил зарезать. Пошёл нож точить.

Коза поняла – дело плохо, оторвалась и убежала. Бежала, бежала, видит: избушка – заскочила и завалилась на печку – лежит.

Приходит зайчик:

– Кто, кто в мою избушку забрался?

А коза – с печи:

– Я, коза-дереза,
За три гроша куплена, полбока луплено,
Топу, топу ногами, заколю тебя рогами,
Ножками затопчу, хвостиком замету!

Зайчик испугался и убежал. Идёт, горько плачет. Навстречу ему – петух в красных сапожках, в золотых серёжках, на плече косу несёт:

– Здравствуй, заинька. Чего плачешь?

– Как мне не плакать?! Забралась коза в мою избушку, меня выгнала.

– Пойдём, я твоему горю помогу.
Пришли к избушке, петух постучался:
– Тук-тук! Кто в избушке?
А коза ему – с печи:

– Я, коза-дереза,
За три гроша куплена, полбока луплено,
Тopy, топу ногами, заколю тебя рогами.
Ножками затопчу, хвостиком замету!

А петух как вскочит на порог да как закричит:

– Я иду в сапожках, в золотых серёжках,
Несу косу, твою голову снесу
По самые плечи, полезай с печи!

Коза испугалась – да прыг с печи да бежать…

А заинька с петушком стали в избушке жить да быть да рыбку ловить.

Спи, моя радость, усни!

С. Свириденко

Спи, моя радость, усни!
В доме погасли огни;
Пчёлки затихли в саду,
Рыбки уснули в пруду,
Месяц на небе блестит,
Месяц в окошко глядит...
Глазки скорее сомкни,
Спи, моя радость, усни!
Усни, усни!

В доме всё стихло давно,
В погребе, в кухне темно,
Дверь ни одна не скрипит,
Мышка за печкою спит.
Кто-то вздохнул за стеной...
Что нам за дело, родной?
Глазки скорее сомкни,
Спи, моя радость, усни!
Усни, усни!

Сладко мой птенчик живёт:
Нет ни тревог, ни забот;
Вдоволь игрушек, сластей,
Вдоволь весёлых затей,
Всё-то добыть поспешишь,
Только б не плакал, малыш!
Пусть бы так было все дни!
Спи, моя радость, усни!
Усни, усни!

***

Люли-люли-люленьки!
Где вы, гули, гуленьки?
Прилетайте на кровать,
Начинайте ворковать!
Люли-люли-люленьки!
Прилетели гуленьки,
Сели в изголовьице,
Спи-ка на здоровьице!
Стали гули ворковать –
Стала дочка засыпать.

***

Ай, бай-бай, ай, бай-бай!
Ты, собачка, не лай,
Ты, корова, не мычи,
Ты, петух, не кричи,
Наша детка будет спать,
Будет глазки закрывать.

***

Баю-баю-баю-бай!
Ты, наш котик, не гуляй!
А ступай-ка во лесок,
Поищи там поясок.
Будешь люлечку качать,
Приговаривать:
– Баю-баю-баю-бай!
Крошка наша, засыпай!

***

Баюшки-баюшки,
Скакали горностаюшки.
Прискакали к колыбели,
На малышку поглядели,
И сказал горностай :
– Поскорее подрастай!
Я тебя к себе снесу,
Покажу тебе в лесу
И волчонка, и зайчонка,
Кукушонка, лягушонка,
А под ёлкою – лису.

***

Баю-баю-баю-бай!
Ты, собачка, не лай!
Белолапа не скули,
Мою дочку не буди!
А приди к нам ночевать,
Дочку в люлечке качать.

***

Ночь пришла,
Темноту привела.
Задремал петушок,
Запел сверчок.
Уже поздно, сынок,
Ложись на бочок,
Баю-бай, засыпай!..

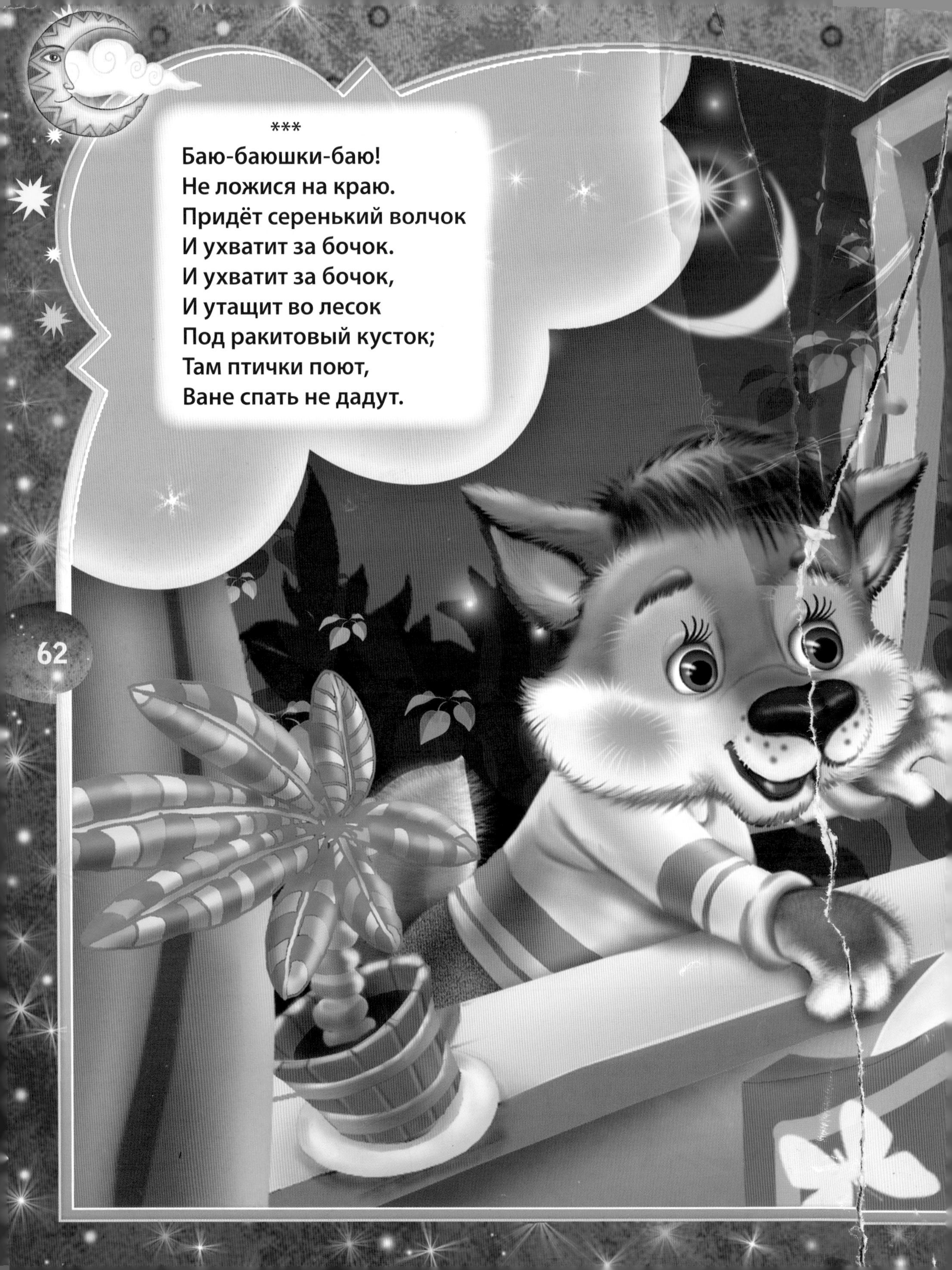

***

Баю-баюшки-баю!
Не ложися на краю.
Придёт серенький волчок
И ухватит за бочок.
И ухватит за бочок,
И утащит во лесок
Под ракитовый кусток;
Там птички поют,
Ване спать не дадут.

***

Ой, люли́, люли́, люли́!
Прилетели журавли.
Журавли-то длинноноги
Не нашли пути-дороги.
Не нашли пути-дороги,
Покружили, покружили,
Да и сели на ворота.
А ворота-то, ворота,
Они скрип-скрип-скрип!
Не будите у нас Ваню:
Наш Ванюша спит, спит...

***

Баю-бай, за рекой
Солнце скрылось на покой.
А у наших у ворот
Зайки водят хоровод.
Заиньки, заиньки,
Не пора ли баиньки?
Вам под осинку,
Сыночку – на перинку.

***

Котя-котенька-коток,
Котя – серенький хвосток,
Приди, котя, ночевать,
Нашу деточку качать.
Уж как я тебе, коту,
За работу уплачу:
Шубку новую сошью,
Да сапожки закажу,
Дам кувшин молока
И кусок пирога.
Ешь ты, котя, не кроши,
Котя, больше не проси.

Н
О
С
А
В
М

Пусть приснится сказка

Три медведя

Одна девочка ушла из дома в лес и заблудилась.

Долго искала она дорогу домой, но не нашла, а пришла в лесу к домику.

В том домике жили три медведя. Отца-медведя звали Михаил Иванович, медведицу – Настасья Петровна, а маленького медвежонка – Мишутка.

Медведей дома не было: они ушли на прогулку.

Дверь в домик была отворена, и девочка вошла в первую комнату. На столе стояли три миски с кашей. Очень большая миска была Михаила Ивановича, поменьше – Настасьи Петровны, а маленькая – Мишуткина.

Девочка попробовала кашу из всех мисок, и Мишуткина каша была вкуснее всех. Она съела её и пошла в другую комнату.

2 3 4 5 6 7

Там стояли три кровати.

В самой большой кровати, Михаила Ивановича, было слишком просторно. В средней, Настасьи Петровны, – слишком высоко.

Мишуткина кровать пришлась ей как раз впору, и она в ней заснула.

Медведи пришли домой и захотели пообедать. Михаил Иванович заглянул в свою миску и заревел страшным голосом: «Кто ел из моей миски?»

Настасья Петровна посмотрела в свою миску и зарычала: «Кто ел из моей миски?»

Мишутка увидел пустую мисочку и запищал тонким голоском: «Кто съел мою кашу?»

Медведи пошли в другую комнату.

– Кто ложился в мою постель? – страшным голосом заревел Михаил Иванович.

– Кто ложился в мою постель и смял её? – зарычала Настасья Петровна.

А Мишутка увидел в своей кроватке девочку и завизжал: «Вот она! Держи! Держи!»

Девочка проснулась, увидела медведей и бросилась к окну. Она выскочила в окно и убежала, и медведи её не догнали.

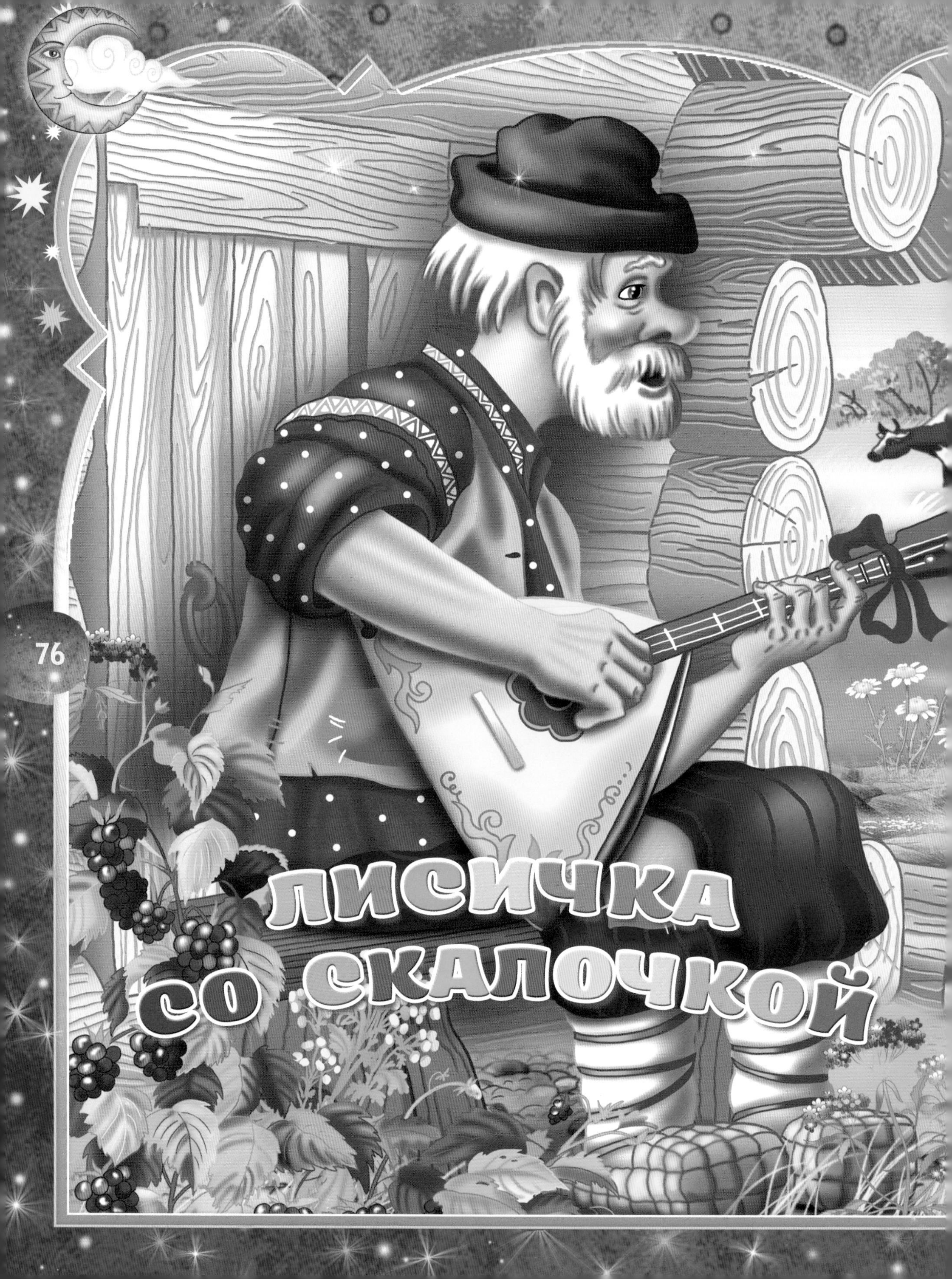

Лисичка со скалочкой

Шла лисичка по дорожке, нашла скалочку. Пришла в деревню и стучит в избу:

– Хозяин, пусти меня ночевать.

– У нас и без тебя тесно.

– Я не потесню вас. Сама лягу на лавочку, хвостик – под лавочку, а скалочку – под печку.

Её пустили. Легла лисичка на лавочку, хвостик – под лавочку, скалочку – под печку. Ночью лисичка встала, выбросила скалочку, а после спрашивает:

– Где моя скалочка? Отдайте мне за неё курочку.

Мужик – делать нечего – отдал ей за скалочку курочку. Взяла лисичка курочку и пошла дальше.

Стучит она в избу к другому мужику:

– Хозяин, пусти меня ночевать.

– Да у нас и без тебя тесно.

– Я не потесню вас. Сама лягу на лавочку, хвостик – под лавочку, а курочку – под печку.

Её пустили.

Ночью лисичка съела курочку, а утром потребовала за неё уточку.

Мужику делать нечего – отдал ей за курочку уточку. Взяла лисичка уточку и довольная пошла дальше.

Вот стучится она в избу на краю деревни:

– Я – лисичка-сестричка. Пустите меня ночевать.

Её пустили. Ночью лисичка съела уточку, а после спрашивает:

– Где моя уточка? Отдайте мне за неё девочку.

А мужику девочку жалко отдавать. Запихнул он в мешок собаку и отдал лисичке.

Вот собралась лисичка в дорогу, взвалила мешок на плечо и говорит:

– Девочка, пой песни.

А собака как зарычит из мешка. Лисичка испугалась, бросила мешок да бежать, собака – за ней.

Несётся лисичка что есть мочи, а собака не отстаёт. Вот-вот догонит!

Лисичка еле ноги унесла, сидит в своей норе ни жива ни мертва. Поделом обманщице!

Петушок и курочка

Жили петушок и курочка. Родителей у них не было, так курочка за старшую была.

Раз вышел Петя в сад клевать зелёные ягоды.

– Петя, подожди, пока поспеет! – просит курочка.

Да куда там! Так наклевался, что еле домой дошёл!

– Ой, – кричит, – сестрица, помоги мне! Ох, больно!..

Курочка напоила брата мятным отваром, горчичники приложила. Выздоровел петушок – и всё забыл.

Вот бегал он, с бабочками и стрекозами резвился. Пить захотел, побежал к ручью.

А вода в нём ледяная!

– Петя, не пей – заболеешь! – остерегает сестра.

Не послушался петушок, попил воды и заболел. Насилу бобр и бабочки дотащили не́слуха домой.

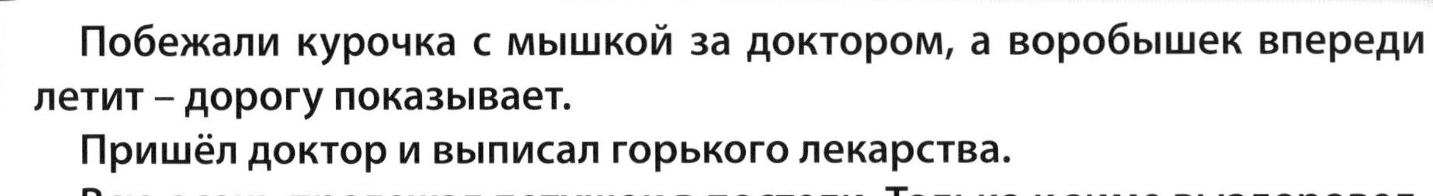

Побежали курочка с мышкой за доктором, а воробышек впереди летит – дорогу показывает.

Пришёл доктор и выписал горького лекарства.

Всю осень пролежал петушок в постели. Только к зиме выздоровел.

Надел он коньки и пошёл на речку кататься. Курочка следом бежит:

– Петя, обожди! Лёд на реке ещё тонкий!

Но петушок уже с горки прямо в речку скатился.

Лёд проломился, и он – бултых в воду! Не смогли его выловить.

Ячменное зёрнышко

В далёкие времена жили-были курочка, мышка, белочка, хомячок и тетерев.

Однажды нашла курочка ячменное зёрнышко и от радости даже раскудахталась:

– Нашла зерно! Зерно нашла!.. Надо его смолоть! А кто понесёт на мельницу?

– Не я, – сказала мышка.

– Не я, – сказала белочка.

– Не я, – сказал хомячок.

– Не я, – сказал тетерев.

Нечего делать – взяла курочка зёрнышко и понесла. Пришла на мельницу, смолола зерно.

– Кто домой муку снесёт? – спросила курочка.

– Не я, – сказала мышка.

– Не я, – сказала белочка.

– Не я, – сказал хомячок.

– Не я, – сказал тетерев.

Нечего делать, взяла курочка муку и понесла домой.

– Кто тесто замесит? – спросила курочка.

– Не я, – сказала мышка.

– Не я, – сказала белочка.

– Не я, – сказал хомячок.

– Не я, – сказал тетерев.

Замесила курочка тесто, и печку затопила, и хлеб сама посадила в печь.

Вышел каравай на славу: пышный да румяный. Курочка на стол его поставила и спрашивает:

– А кто его есть будет?

– Я! – крикнула мышка.

– И я! – крикнула белочка.

– И я! – крикнул хомячок.

– И я! – крикнул тетерев.

И четверо уселись за стол: мышка, белочка, хомячок и тетерев. Весь хлеб съели и курочке ничего не оставили.

ЛИСА
И ДРОЗД

Дрозд на дереве гнёздышко свил, яички снёс, вывел птенчиков. Узнала про это лисица. Прибежала – и тук-тук хвостом по дереву.

Выглянул дрозд из гнезда, а лиса – ему:

– Дерево хвостом подсеку, тебя и детей твоих съем!

Дрозд испугался и стал лису просить:

– Лисонька-матушка, не руби дерева, не губи детушек. Я тебя пирогами и мёдом угощу.

– Накормишь – не буду дерева рубить.

– Вот пойдём со мной на большую дорогу.

И отправились лиса и дрозд на большую дорогу.

Увидел дрозд, что идёт старуха с внучкой, несут корзину пирогов и кувшин мёду.

Лисица спряталась, а дрозд сел на дорогу и побежал, будто лететь не может: взлетит и сядет, взлетит и сядет.

Внучка и говорит бабушке:

– Давай поймаем эту птичку! У ней, видать, крыло перебито. Уж больно красивая птичка!

Поставили они корзину да кувшин на землю и побежали за дроздом.

Отвёл их дрозд подальше от корзины и мёда. А лисица не зевала: наелась вволю да ещё и запас припасла. Взвился дрозд и улетел в своё гнездо.

А лиса тут как тут – тук-тук хвостом по дереву:

– Дерево хвостом подсеку, тебя съем и детей твоих съем!

Дрозд высунулся и ну лисицу молить:

– Лисонька, дерево не руби, детушек моих не губи! Я тебя пивом напою.

– Пойдём скорей! Я жирного наелась, мне пить хочется!

Полетел опять дрозд на дорогу, а лисица вслед бежит.

Дрозд видит: едет мужик, везёт бочку пива. Дрозд к нему: то на лошадь сядет, то на бочку. До того рассердил мужика, тот захотел прогнать его. Сел дрозд на гвоздь, а мужик как ударит топором – и вышиб из бочки гвоздь. Сам побежал догонять дрозда.

А пиво из бочки на дорогу льётся. Лиса напилась, сколько хотела, пошла, песни запела.

Улетел дрозд в своё гнездо.

Лисица опять тут как тут – тук-тук хвостом по дереву:

– Дрозд, накормил ты меня и напоил! Теперь рассмеши меня.

Повёл дрозд лису в деревню. Видит: старуха корову доит, а рядом старик лапти плетёт. Дрозд сел старухе на плечо.

Старик и говорит:

– Старуха, ну-ка не шевелись, я прогоню дрозда! – и ударил ста-

руху по плечу, а в дрозда не попал.

Старуха упала, подойник с молоком опрокинула.

Вскочила старуха и давай старика ругать. Долго лисица смеялась над стариком.

Не успел дрозд детей накормить, лисица опять тут:

– Дрозд, а дрозд, а теперь напугай меня!

Рассердился дрозд и говорит:

– Закрой глаза и беги за мной!

Полетел дрозд, летит-покрикивает, а лисица бежит за ним – глаз не открывает.

Привёл дрозд лису прямо на охотников.

– Ну теперь, лиса, пугайся!

Лиса открыла глаза, увидела собак и – наутёк. А собака – за ней. Едва добралась до своей норы. Залезла в неё, отдышалась и начала спрашивать, что делали глазки, ушки, ножки, хвостище.

– Мы, глазки, смотрели, чтобы собаки лисоньку не съели, а мы, ушки, слушали, чтобы собаки тебя не скушали. А мы, ножки, бежали, чтобы собаки не поймали. А я, хвостище, по пням, по кустам цеплял да тебе бежать мешал.

Рассердилась лиса и высунула хвост из норы:

– Нате, собаки, ешьте мой хвост!

Собаки ухватили лису за хвост и вытащили из норы.

БАЮ-БАЮ-
БАИНЬКИ!

***

Баю-баю-баиньки!
Прибежали заиньки:
– Спит ли ваша девочка?
Девочка-припевочка?
– Уходите, заиньки,
Не мешайте баиньки!

***

Баю-баюшки-баю,
Живёт барин на краю.
Он не беден, не богат,
Полна горница ребят.
Полна горница ребят,
Все по лавочкам сидят,
Кашу маслену едят.

***

Баю-баюшки-бай-бай!
Поди, бука, под сарай,
Мою детку не пугай.
Я за веником схожу,
Тебя, бука, прогоню.
Поди, бука, куда хошь,
Мою детку не тревожь.

***

Баю-бай, баю-бай!
К нам приехал дед Мамай,
К нам приехал дед Мамай,
Просит: «Сыночку отдай».
А мы сына не дадим.
Пригодится нам самим.

***

Уж ты, Петя-петушок,
Золотой гребешок,
Маслена головушка,
Шёлкова бородушка!
Что ты рано встаёшь,
Голосисто поёшь,
Голосисто поёшь,
Детке спать не даёшь?
Баю-баю-баю-бай,
Вместе с деткой засыпай!

***

Баю-баю-баюшки,
Прискакали заюшки.
Люли-люли-люлюшки,
Прилетели гулюшки.
Стали гули ворковать,
Стала дочка засыпать.
Спи-усни, спи-усни,
Сладкий сон тебя возьми.

***

Баю-бай, баю-бай,
Ты, собачка, не лай.
Ты, собачка, не лай,
Нашу дочку не пугай.
Ночка тёмная, не спится,
Наша доченька боится.

***

Сладко спи, ребёнок мой,
Глазки поскорей закрой.
Баю-баю, птенчик, спать!
Будет мать тебя качать,
Папа сон оберегать.
Баю-баю, птенчик спать!

***

Баю-баю-баиньки,
В огороде заиньки.
Зайки травушку едят,
Малым деткам спать велят.

***

Спи-ко, спи-ко, баю-бай!
Свои глазки закрывай.
Ходит Сон по лавочке
В голубой рубашечке.
А Сониха – по другой,
Сарафанец голубой.
Баю-баю-баю-бай!
Поскорее засыпай.

***

Баиньки-баиньки,
Спи, покуда маленький.
Будет время – подрастёшь,
На работу пойдёшь,
Станешь лес рубить,
Рыбку в озере ловить,
Дрова возить матушке,
Избу чинить батюшке.
Станешь всем помогать –
Будет некогда поспать.
Баиньки-баиньки,
Спи, покуда маленький!

СОДЕРЖАНИЕ

ББК 84(2Рос=Рус)6
С80

С80 Стихи и сказки на ночь. – Ростов-на-Дону: Издательский дом «Проф-Пресс», 2012. – 128 с., цв. ил. (серия «Лучшие стихи и сказки малышам»).

ББК 84(2Рос=Рус)6

ISBN 978-5-378-04248-7

Серия «Лучшие стихи и сказки малышам»

СТИХИ И СКАЗКИ НА НОЧЬ

*

Дизайн обложки ООО «Форпост»
***Редактор** В. Гетцель*
***Вёрстка и оформление** И. Середина*
***Корректор** А. Морозова*

*

Использованы иллюстрации
Егоровой И., Шляхова И.,
при содействии ООО «Форпост»

*

Для чтения родителями детям
Торговые представительства:
РО, г. Аксай, тел./факс: (863) 210-11-67, 210-11-70, 210-11-76
E-mail: book@prof-press.ru
http://www.prof-press.ru
Донецк (Украина)
тел.: (0622) 58-17-97
E-mail: ppress@ukrpost.ua

Код по классификации ОК 005-93 (ОКП) 95 3000. Книги и брошюры.
Санитарно-эпидемиологическое заключение
№ 61.РЦ.10.953.П.007348.12.07 от 21.12.2007 г.

Подписано в печать 30.10.2012. Формат 84x108/16.
Бумага мелованная. Печать офсетная. Гарнитура «Miryad Pro».
Усл. печ. л. 13,44. Заказ № 4736. Тираж 10 000 экз.

Для писем:
Издательский дом «Проф-Пресс»,
а/я 5782, Ростов-на-Дону, 344019, редакция.

Отпечатано в ООО «Издательский дом «Проф-Пресс»,
346720, РО, г. Аксай, ул. Шолохова 1 Б;
тел.: (863) 210-11-70.

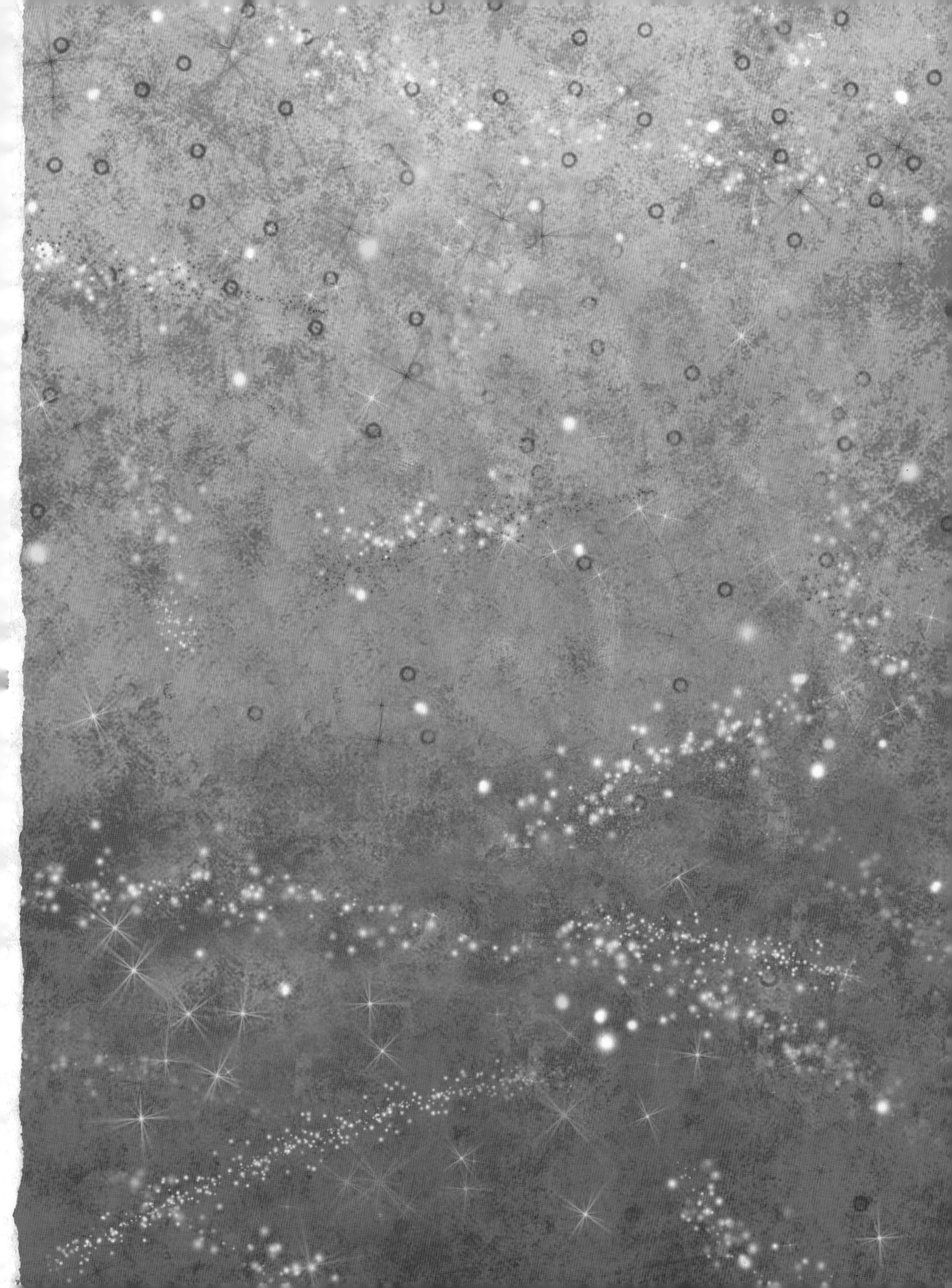